De royalty's van Fiep Westendorp komen ten goede aan
de kinderprojecten van de Fiep Westendorp Foundation.

Fiep is een imprint van Em. Querido's Uitgeverij BV, Amsterdam.

Dit boek is samengesteld uit het rijke oeuvre van Fiep Westendorp.

Samenstelling: Gioia Smid
Vormgeving: Wietske Lute

www.pimenpom.nl
www.fiepwestendorp.nl
www.queridokinderboeken.nl

NUR 273 / ISBN 978 90 451 1646 4

Het grote Fiep kijkboek

Fiep Westendorp

In de stad

etalage

ANTIEK

winkel

straatlantaarn

terras

portier

hotel

toeristen

huizen

stoep

straat

trein

station

snackbar

reizigers

PATAT

RIKA KALO

In het verkeer

chauffeur

de weg

weggebruikers

parkeerplaats

taxi met passagier

auto

voetgangers

oversteken bij het zebrapad

stoep

goed kijken voordat
je oversteekt

fietser

automobilist

straat

trottoir

cabriolet

vluchtheuvel

arm
uitsteken

bestelwagen

kruispunt

wachten bij het rode stoplicht

Voertuigen

helicopter

vuilniswagen

busje

motor

trein

bestelwagen

RT 12-34

kraanwagen

elektrische
fiets

In de dierentuin

neushoorn

beren

zebra

leeuw

lama

olifant

kameel

giraffe

musje

aap

schildpad

pinguïn

In het park

ijscoman

bankje

vogels voeren

straatmuzikant

vijver

bomen

hond uitlaten

eendenvijver

In het circus

circustent

cassière

publiek

aap

olifant

trapeze

bal

circuspiste

dompteur

In het circus

clowns

woonwagen

aap

dierentemmer

hoepel

dressuurpaard

In de woonkamer

raam

schilderij

vensterbank

gordijn

kamerplant

televisie

bijzettafel

servieskast

stoel

portret

fauteuil

kaars　　klok　　kandelaar

openhaard

speelgoed

vaas met
bloemen

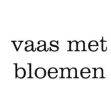

tafelkleed

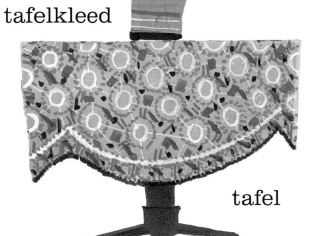

schemerlampen

tafel

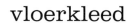

vloerkleed

In de keuken

waterkan

soepterrine

appels

snijplank en mes

fluitketel

vergiet

kok

fornuis

pannen

theepot

brood

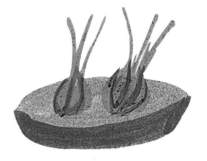

uien

fruitschaal

taart bakken

taart eten

kraan

afwassen

glaasje
limonade

bestek

de vaat

Welterusten

pyjama aan

bedtijd

badkamer

wassen

tandenpoetsen

voorlezen

knuffels

slapen

In de tuin

bezem

waslijn

vogel

nest

kruiwagen

terras

kip

bloempot

hark

Huisdieren

muizen

hond

kat

kauw

schildpad

hondenshow

konijn

kip

konijnenhok

egel

goudvissen

vogels

poezen

Op school

schrijven

in de klas

schoolbord

juf

schoolbank

aquarium

schoolmelk drinken

Muziek

notenbalk

trommel

bas

kinderorkest

percussie

dirigent

grote trom

harmonieorkest

tuba

klarinet

trompet

fanfare

viool

piano

cello

bekkens

Spelletjes

ganzenmars

piraatje spelen

geheimschrift

zonder handen samen opstaan

kwartetten

kaarten

golf

neusje tegen neusje

hartenjagen

verstoppertje

macaroniketting

dobbelen

hypnosebril

blindemannetje

Sporten

paardrijden

voetballen

zwemmen

schaatsen

vissen

Beroepen

huisschilder

verpleegster

burgemecster

de brandweer

secretaresse

cameraman

krantenbezorger

fotografen

timmerman

timmervrouw

generaal

mannequin

In de wildernis

tijgers

zwarte panter

gier

flamingo

tropisch regenwoud

toekan

beren

slang

Op de boerderij

hooivork

boer

koe

kip met ei

kippen in het kippenhok

haan

pauw

schaap

varken

pony

hek

bok

In het bos

konijn

kikker

nest met muisjes

vlinders

spin

uil

hert

mierenhoop

paddenstoelen

egel

vogels

vos

Naar de camping

caravan

auto

bagage

koken

wandelen

zonnen

luieren

kampeerterrein

tentjes

caravans

Lente

paaseieren

paashaas

paaskuiken

vogelnest

lam

tulpenveld

tulp

gieter

Zomer

zeemeeuwen

zon

vlaggetje

zonnehoed

zwembroek

zee

zandkasteel

strand

zand

schelpen

strandbal

Herfst

paddenstoelen

vlieger

paraplu

regen

regenlaarsjes

gieter

hark

kruiwagen

vogelvoer

emmer

herfst-bladeren

Winter

bergen

sneeuw

slee

sneeuwpop

wak

schaatsen

Feesten

trouwerij

carnaval

moederdag

verjaardag

Pasen

Sint-Maarten

Sinterklaas

Kerstmis

oudejaarsavond